L'ATLAS DES 5-8 ANS

MON PREMIER TOUR DU MONDE

CLÉ DE LECTURE

Toutes les cartes politiques et physiques de cet atlas sont fidèles à la réalité.
Elles ont juste été simplifiées pour une meilleure lisibilité.
En revanche, les auteurs ont volontairement faussé les distances et les échelles
dans les grandes illustrations qui proposent des voyages à travers les différents continents,
pour que les enfants en aient une vision plus riche et globale.

Nous vous souhaitons à tous un agréable voyage...

MILAN
jeunesse

L'AFRIQUE

L'Afrique, c'est le désert du Sahara, la savane et ses milliers d'animaux sauvages, la forêt équatoriale, et des villages traditionnels côtoyant de grandes villes modernes.

Dans les vieilles rues de Marrakech, au Maroc, le marché, appelé souk, est très animé. Vendeurs et acheteurs y discutent les prix autour d'un verre de thé à la menthe.

La girafe, le plus haut mammifère du monde, habite la savane africaine. Grâce à son cou de 3 m, elle peut manger les feuilles tout en haut des arbres. Chaque girafe se reconnaît au dessin unique de ses taches.

En Afrique du Sud, à l'extérieur des grandes villes, les townships sont des quartiers pauvres habités essentiellement par des Noirs. Celui de Soweto, à Johannesburg, est un des plus misérables.

Le point culminant de l'Afrique, le Kilimandjaro, est un volcan, toujours en activité. Recouvert de neiges éternelles, il domine la savane, une immense prairie d'herbes hautes.

La mosquée de Djenné, au Mali, entièrement construite en banco, de la boue séchée au soleil, est hérissée de piquets de bois. Ce procédé de construction n'est pas cher mais il résiste mal à la pluie.

Au Zimbabwe, les femmes ndebeles, sont surnommées « femmes girafes » en raison des nombreux anneaux de cuivre qu'elles portent autour du cou.

Les Pygmées sont très petits : ils mesurent environ 1,50 m. Ils vivent comme il y a des milliers d'années, de chasse et de cueillette, dans la forêt équatoriale dont ils connaissent tous les secrets.

Le baobab résiste à la saison sèche grâce aux réserves d'eau qu'il stocke dans son tronc. La légende raconte que c'est un arbre planté à l'envers, avec les racines dans le ciel.

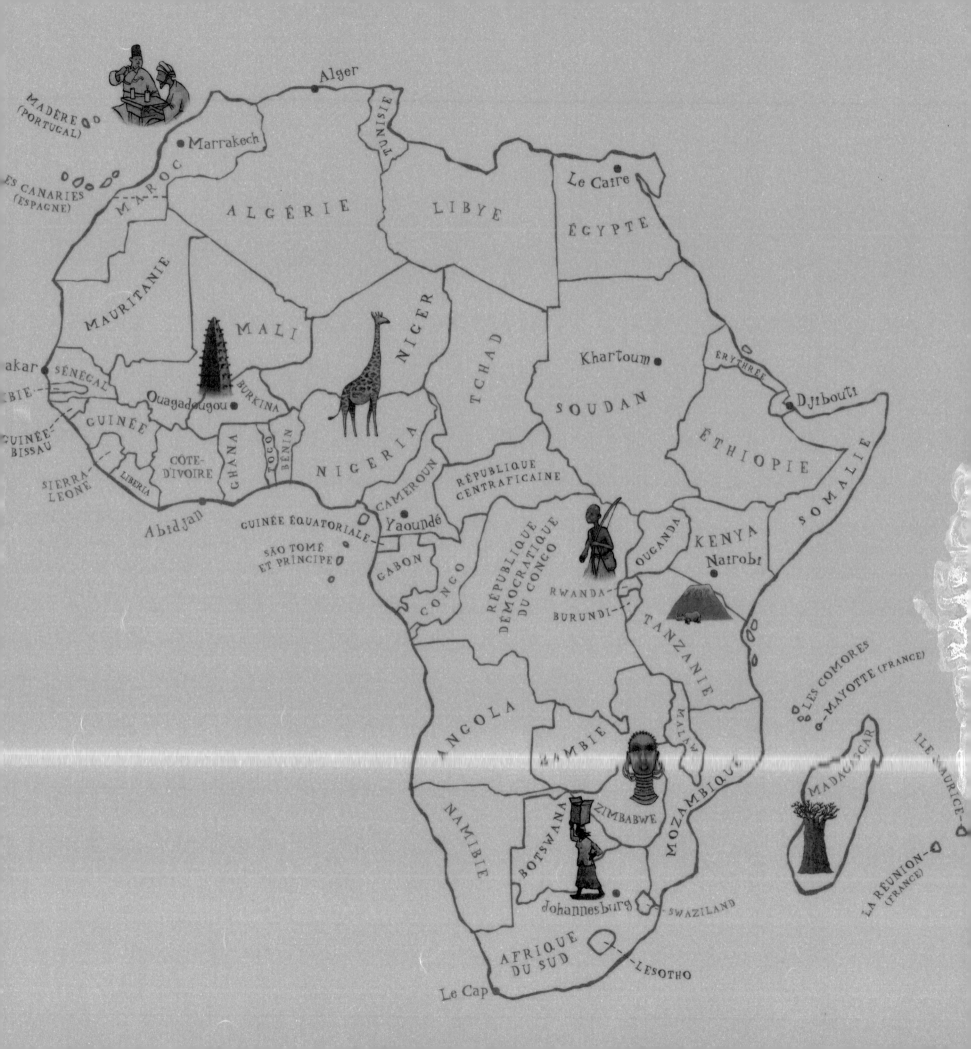

La mer Méditerranée

Le canal de Suez

L'ATLAS

LE SAHARA

LE DÉSERT DE LIBYE

Le Nil

La mer Rouge

LE SAHEL

Le lac Tchad

Le Niger

Le Nil

Le golfe de Guinée

LA VALLÉE DU RIFT

Le lac Victoria

Le Kilimandjaro

L'OCÉAN INDIEN

Le Congo

Le lac Tanganyika

Le lac Malawi

L'OCÉAN ATLANTIQUE

Le Zambèze

LE DÉSERT DU KALAHARI

NORD
OUEST
EST
SUD

Le cap de Bonne-Espérance

EN AFRIQUE, IL Y A LE NIL

Du lac Victoria à la mer Méditerranée, le Nil traverse la forêt tropicale de l'Ouganda et le désert du Soudan et de l'Égypte. De nombreux villages se sont implantés sur ses rives. Le Nil ravitaille les populations depuis l'époque des pharaons, où les dieux régnaient en maîtres sur l'Égypte.

les dieux de l'Égypte ancienne, au temps des pharaons, étaient représentés avec des têtes d'animaux sacrés.

NORD EST SUD OUEST

Mt Kenya

zèbre

famille de lions

Safari au Kenya

éléphants

mosquée de Khartoum

léopard

temple de Philae

palmeraie

le Nil

crocodiles

flamants roses

guépard

antilope

pélican blanc

temple d'Abou Simbel

zèbres

palmier dattier

village soudanais

chacal

famille de rhinocéros

gorille

forêt équatoriale

L'AMÉRIQUE DU NORD

Le continent nord-américain comprend 23 pays. La richesse des 2 plus grands, le Canada et les États-Unis, contraste avec la misère de la plupart des pays d'Amérique centrale.

Le raton laveur vit surtout la nuit, près des cours d'eau, et se nourrit de poissons et d'écrevisses.

Le castor est un bon nageur. À l'aide de ses dents tranchantes, cet architecte grassouillet abat de gros arbres dont il mange l'écorce. Et avec les branchages, il construit des barrages.

Du haut de ses 70 m, la pyramide de Tikal domine la jungle du Guatemala. Elle a été construite vers le 5e siècle, par une brillante civilisation disparue : les Mayas.

La statue de la Liberté veille à l'entrée du port de New York, la plus grande ville des États-Unis.
Offerte par la France en 1876, elle a vu arriver depuis des millions d'immigrants qui rêvaient de vivre libres dans un monde nouveau.

Les Inuits vivent dans le Grand Nord. Quand ils partent chasser le phoque ou la baleine, ils construisent des abris, les igloos, avec des blocs de glace. Ils pêchent aussi des poissons en faisant des trous dans la banquise.

Cuba est la plus grande île des Caraïbes. Ses habitants, les Cubains, ont une passion en commun : la musique. Le rythme des percussions, appelées congas, envahit les rues de La Havane du soir au matin.

L'ours polaire vit près du pôle Nord, en Arctique. Son pelage très épais le protège du froid. C'est un grand nageur et un redoutable chasseur de phoques. Sous ses pieds, de petites ventouses l'empêchent de glisser sur la glace.

À la frontière du Canada et des États-Unis, les spectaculaires chutes du Niagara attirent de nombreux touristes. Les jeunes mariés nord-américains s'y rendent souvent en lune de miel.

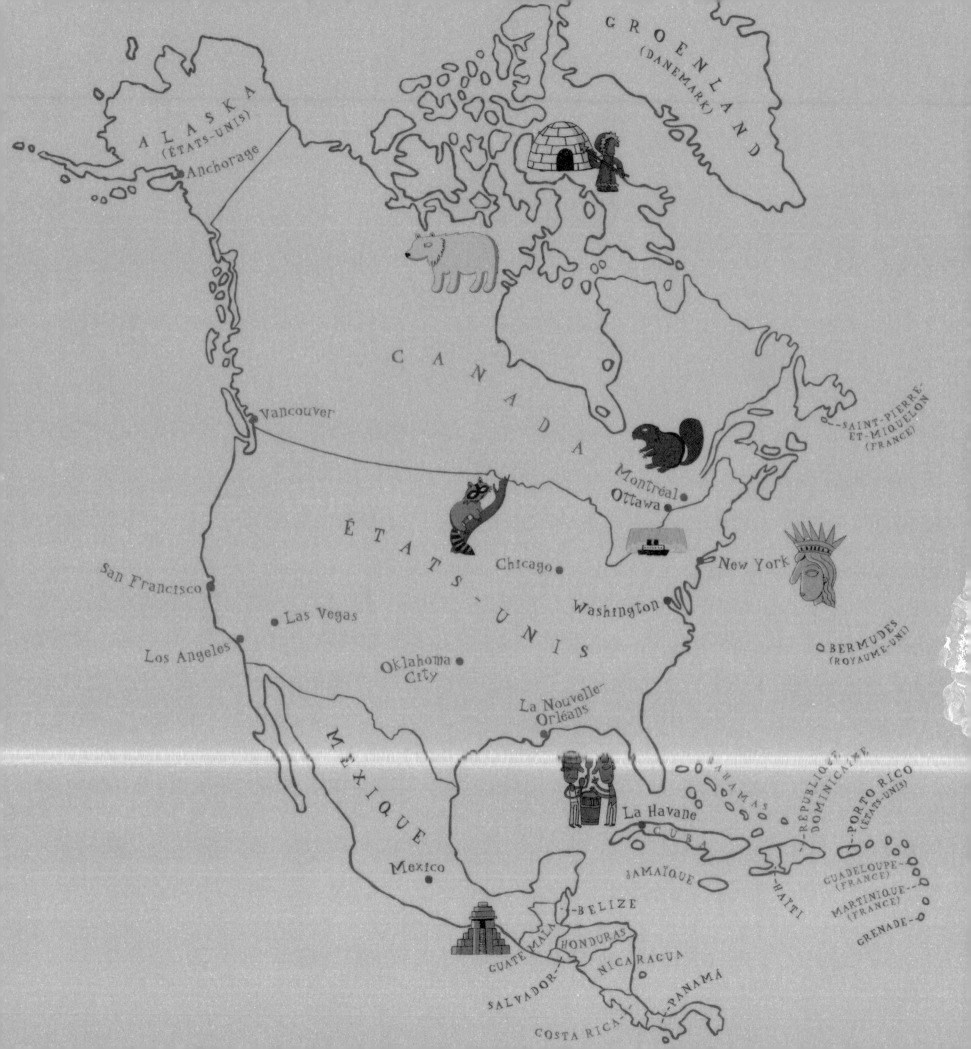

G R O E N L A N D
(DANEMARK)

ALASKA
(ÉTATS-UNIS)
Anchorage

C A N A D A

Vancouver

SAINT-PIERRE-
ET-MIQUELON
(FRANCE)

Montréal
Ottawa

É T A T S - U N I S

San Francisco

Chicago

New York

Las Vegas

Washington

Los Angeles

Oklahoma
City

BERMUDES
(ROYAUME-UNI)

La Nouvelle-
Orléans

M E X I Q U E

La Havane

BAHAMAS

RÉPUBLIQUE
DOMINICAINE

PORTO RICO
(ÉTATS-UNIS)

Mexico

CUBA

JAMAÏQUE

HAÏTI

GUADELOUPE
(FRANCE)

MARTINIQUE
(FRANCE)

BELIZE

GUATEMALA

HONDURAS

GRENADE

SALVADOR

NICARAGUA

COSTA RICA

PANAMÁ

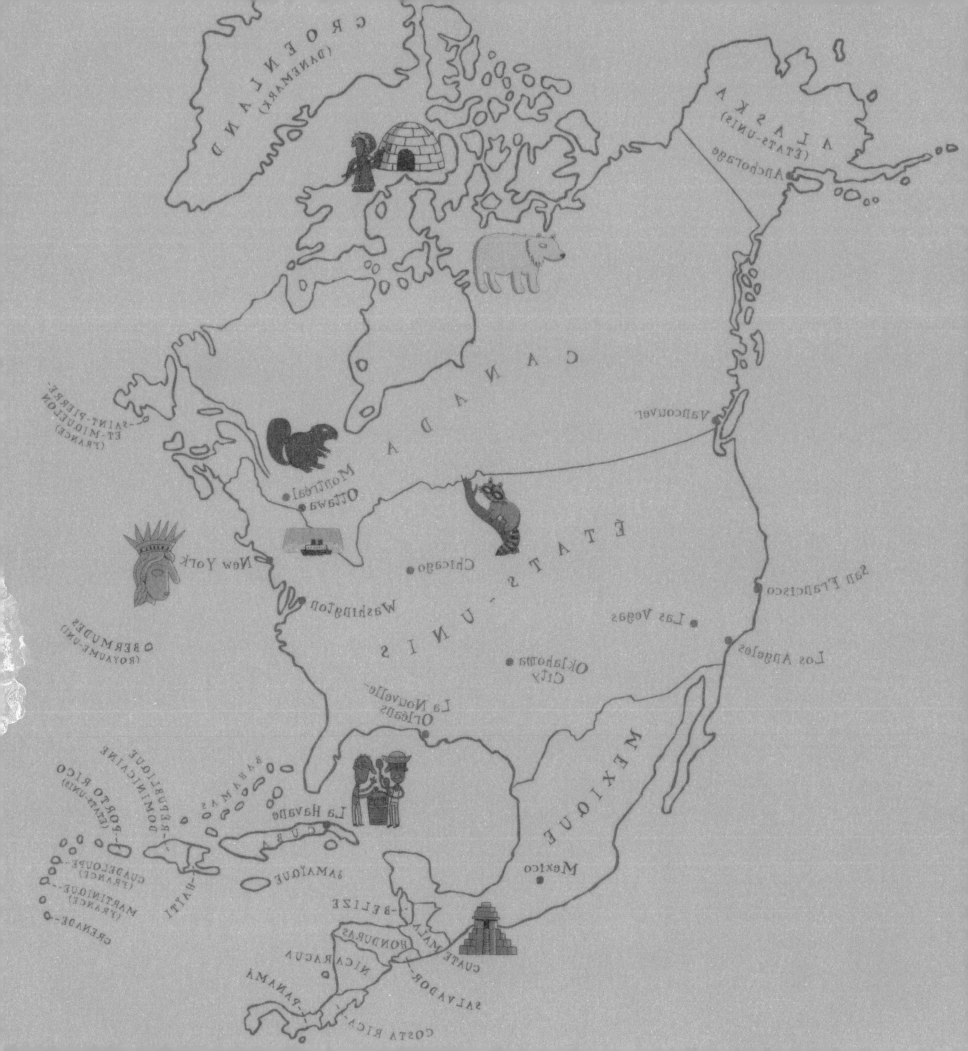

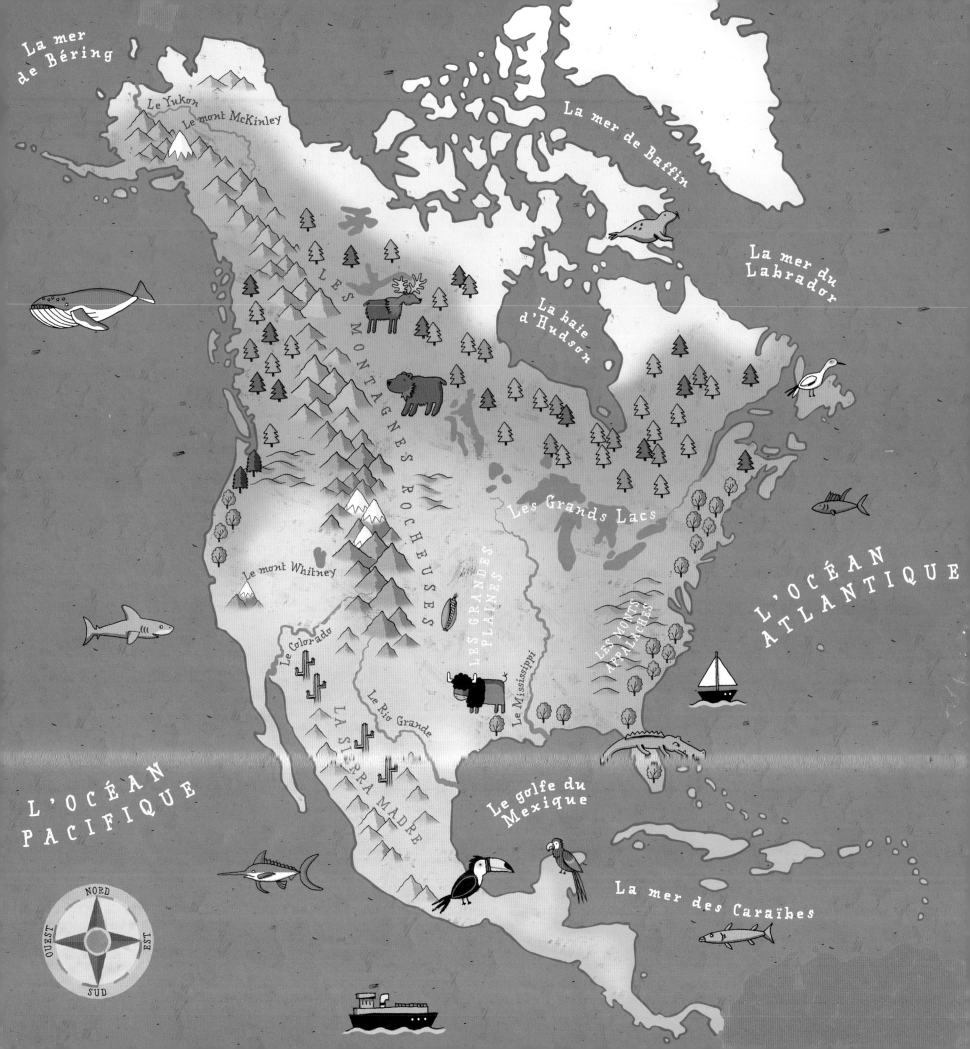

La mer de Béring

Le Yukon

Le mont McKinley

La mer de Baffin

La mer du Labrador

La baie d'Hudson

LES MONTAGNES ROCHEUSES

Les Grands Lacs

L'OCÉAN ATLANTIQUE

Le mont Whitney

LES GRANDES PLAINES

LES MONTS APPALACHES

Le Colorado

Le Rio Grande

Le Mississippi

L'OCÉAN PACIFIQUE

LA SIERRA MADRE

Le golfe du Mexique

La mer des Caraïbes

NORD

OUEST

EST

SUD

EN AMÉRIQUE DU NORD, IL Y A LA ROUTE 66

Les États-Unis sont traversés par une route mythique : la route 66.
Partant de Chicago pour rejoindre Los Angeles, elle traverse
8 États. La route préférée des motards en Harley-Davidson...

L'AMÉRIQUE DU SUD

En Amérique du Sud, le Brésil, qui couvre près de la moitié du territoire, accueille la plus grande forêt du monde : la forêt d'Amazonie.

Chaque année, des gens du monde entier viennent à Rio de Janeiro, au Brésil, pour la fête du carnaval. La foule se déguise et défile en dansant dans les rues, au milieu de superbes chars colorés.

C'est à Kourou, en Guyane, que les fusées Ariane sont assemblées puis lancées dans l'espace.

Le toucan vit dans les forêts chaudes et humides. Cette espèce magnifique est en voie de disparition.

Le lac Titicaca est le plus haut lac navigable du monde. Il comporte des dizaines d'îlots formés de roseaux. Ses habitants, les Indiens uros, utilisent ce matériau pour construire leurs maisons, leurs lits et leurs bateaux.

Située au sud-est du Brésil, São Paulo est la ville la plus peuplée de l'Amérique du Sud. Certains de ses habitants vivent dans des bidonvilles, appelés favelas.

La forêt amazonienne est traversée par un fleuve immense, l'Amazone. Surnommée le « poumon vert du monde », elle abrite quelques tribus d'Indiens, des oiseaux multicolores, des animaux sauvages et des arbres hauts de 70 m.

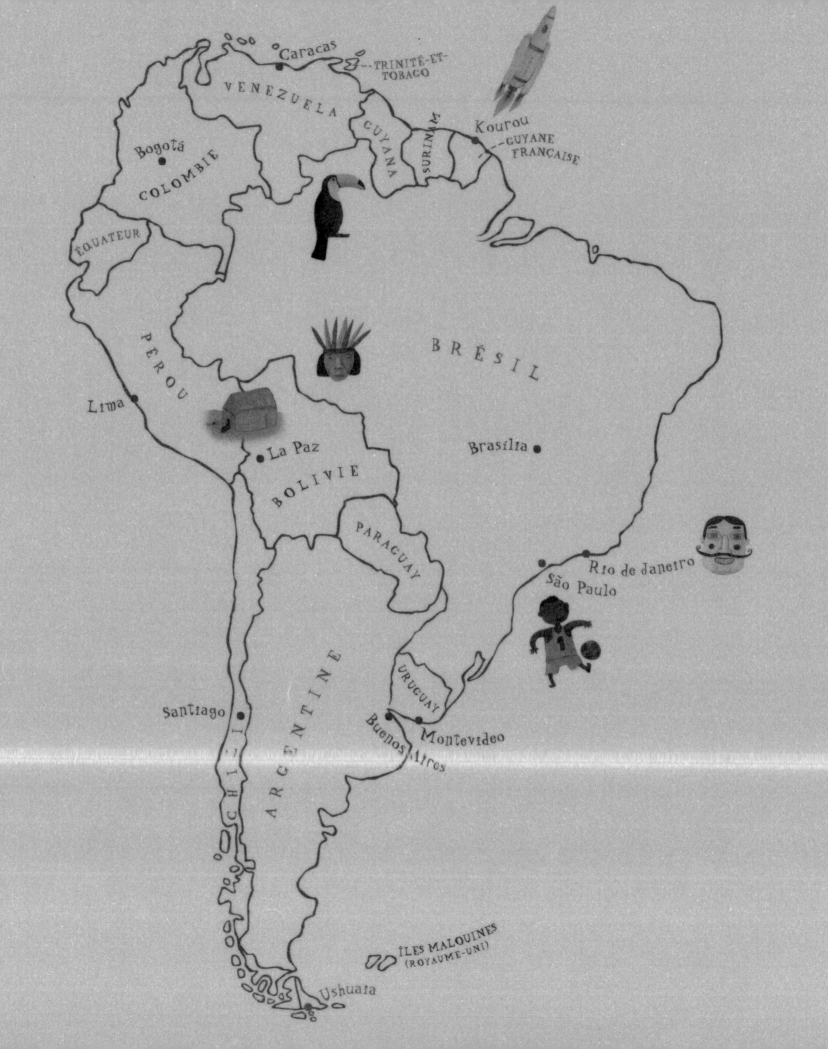

Caracas

VENEZUELA

TRINITÉ-ET-
TOBAGO

GUYANA

SURINAM

Kourou
GUYANE
FRANÇAISE

Bogotá

COLOMBIE

ÉQUATEUR

PÉROU

BRÉSIL

Lima

Brasília

La Paz

BOLIVIE

PARAGUAY

Rio de Janeiro

São Paulo

C H I L I

ARGENTINE

URUGUAY

Santiago

Buenos Aires

Montevideo

ÎLES MALOUINES
(ROYAUME-UNI)

Ushuaïa

Kourou

GUYANE FRANÇAISE

TRINITÉ-ET-TOBAGO

Caracas

VENEZUELA

GUYANA

SURINAM

COLOMBIE

Bogota

ÉQUATEUR

BRÉSIL

PÉROU

Lima

Brasilia

La Paz

BOLIVIE

PARAGUAY

Rio de Janeiro

São Paulo

A R G E N T I N E

C H I L I

URUGUAY

Montevideo

Buenos Aires

Santiago

LES MALOUINES
(ROYAUME-UNI)

Ushuaia

L'OCÉAN
ATLANTIQUE

LE MASSIF
DES GUYANES

L'Orénoque

L'Amazone

LA FORÊT AMAZONIENNE

LE PLATEAU
DU BRÉSIL

L'OCÉAN
PACIFIQUE

LA CORDILLÈRE DES ANDES

Le lac Titicaca

Le Paraná

LA PAMPA

L'Aconcagua

L'OCÉAN
ATLANTIQUE

LA PATAGONIE

NORD

OUEST   EST

SUD

Le cap Horn

EN AMÉRIQUE DU SUD, IL Y A LES ANDES

Avec ses 8 000 km, la cordillère des Andes est la plus longue chaîne de montagnes du monde. Située le long de la côte ouest du continent, elle traverse des paysages et des climats très différents : le plateau désertique de Patagonie au sud, les pâturages de la Pampa au centre et les terres chaudes et humides du Nord.

L'ASIE

L'Asie est le plus vaste et le plus peuplé des continents. De nombreuses religions y sont nées.

À l'origine, les Mongols sont un peuple nomade. La plupart continuent à vivre dans des tentes appelées yourtes, facilement démontables et transportables. Ils accompagnent leur bétail à travers les steppes de Mongolie à la recherche de pâturages.

Le grand panda vit dans les forêts des montagnes de Chine. Il se nourrit presque exclusivement de bambous. Et comme cette plante disparaît peu à peu, le panda est en danger.

Le Taj Mahal, à Agra, au nord de l'Inde, tout en marbre blanc, est un des plus beaux monuments du monde. C'est en fait un tombeau construit pour l'épouse d'un souverain inconsolable de la mort de sa femme.

Les Newars habitent au Népal, au pied de l'Himalaya, la plus haute chaîne de montagnes du monde. On leur doit de nombreux temples hindous aux toits superposés.

Le bouddhisme est une religion répandue en Asie du Sud-Est et au Tibet. Elle est basée sur la recherche de la sagesse. Son fondateur, Bouddha, un ancien prince, aurait renoncé à toutes ses richesses pour méditer et vivre dans la pauvreté.

La Grande Muraille de Chine remonte au 3e siècle avant J.-C. Ce rempart, long de plus de 3 000 km, servait à protéger la Chine des invasions.

Longtemps abattu pour sa fourrure, le tigre du Bengale est aujourd'hui une espèce menacée. Ce chasseur de cerfs et de sangliers survit dans le sud de l'Asie.

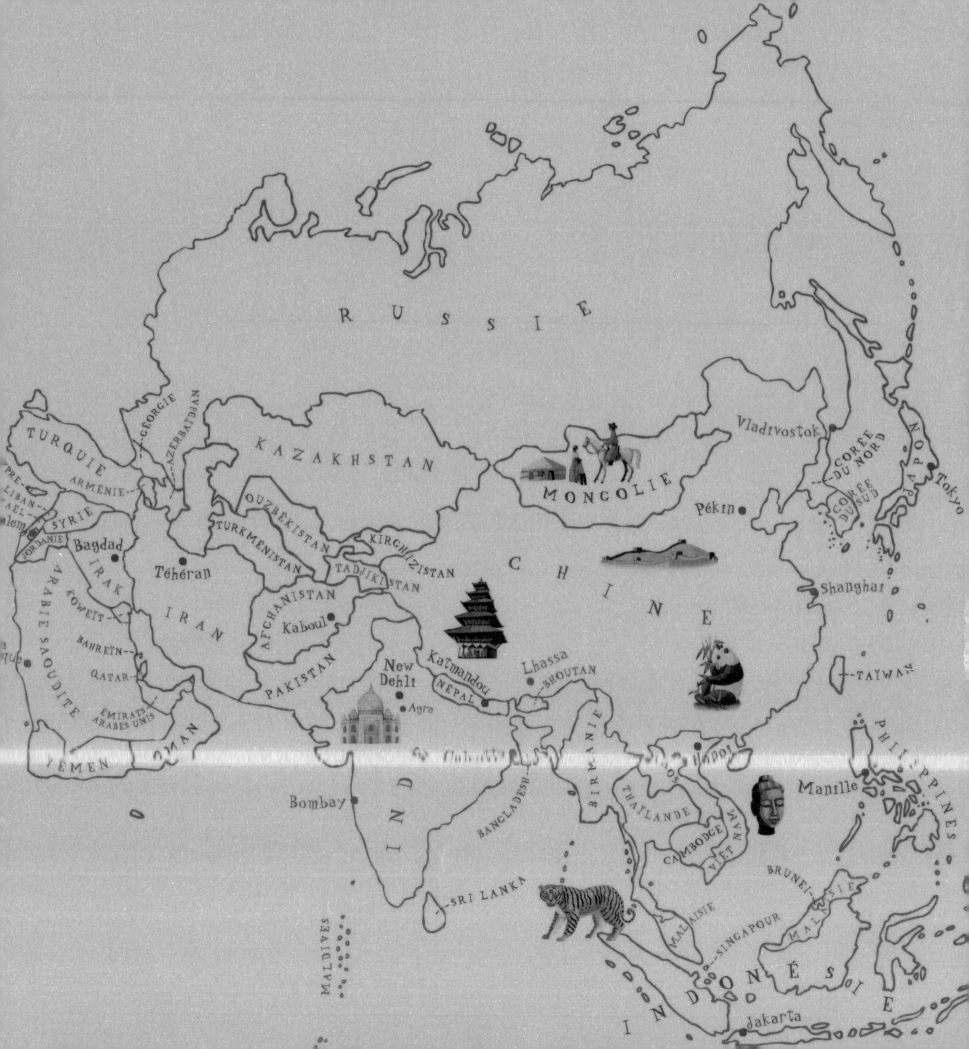

RUSSIE

TURQUIE

GEORGIE

AZERBAÏDJAN

ARMENIE

KAZAKHSTAN

MONGOLIE

Vladivostok

CORÉE DU NORD

JAPON

CORÉE DU SUD

Tokyo

CHYPRE

LIBAN

ISRAEL

Jerusalem

SYRIE

JORDANIE

Bagdad

IRAK

KOWEÏT

ARABIE SAOUDITE

BAHREÏN

QATAR

IRAN

Téhéran

OUZBÉKISTAN

TURKMÉNISTAN

TADJIKISTAN

KIRGHIZISTAN

AFGHANISTAN

Kaboul

CHINE

Pékin

Shanghaï

TAÏWAN

EMIRATS ARABES UNIS

OMAN

YEMEN

PAKISTAN

New Dehli

Katmandou

NÉPAL

Agra

Lhassa

BHOUTAN

INDE

Calcutta

Bombay

BANGLADESH

BIRMANIE

LAOS

Hanoï

THAÏLANDE

Manille

PHILIPPINES

CAMBODGE

VIÊT NAM

SRI LANKA

BRUNEI

MALAISIE

SINGAPOUR

MALAISIE

MALDIVES

INDONÉSIE

Jakarta

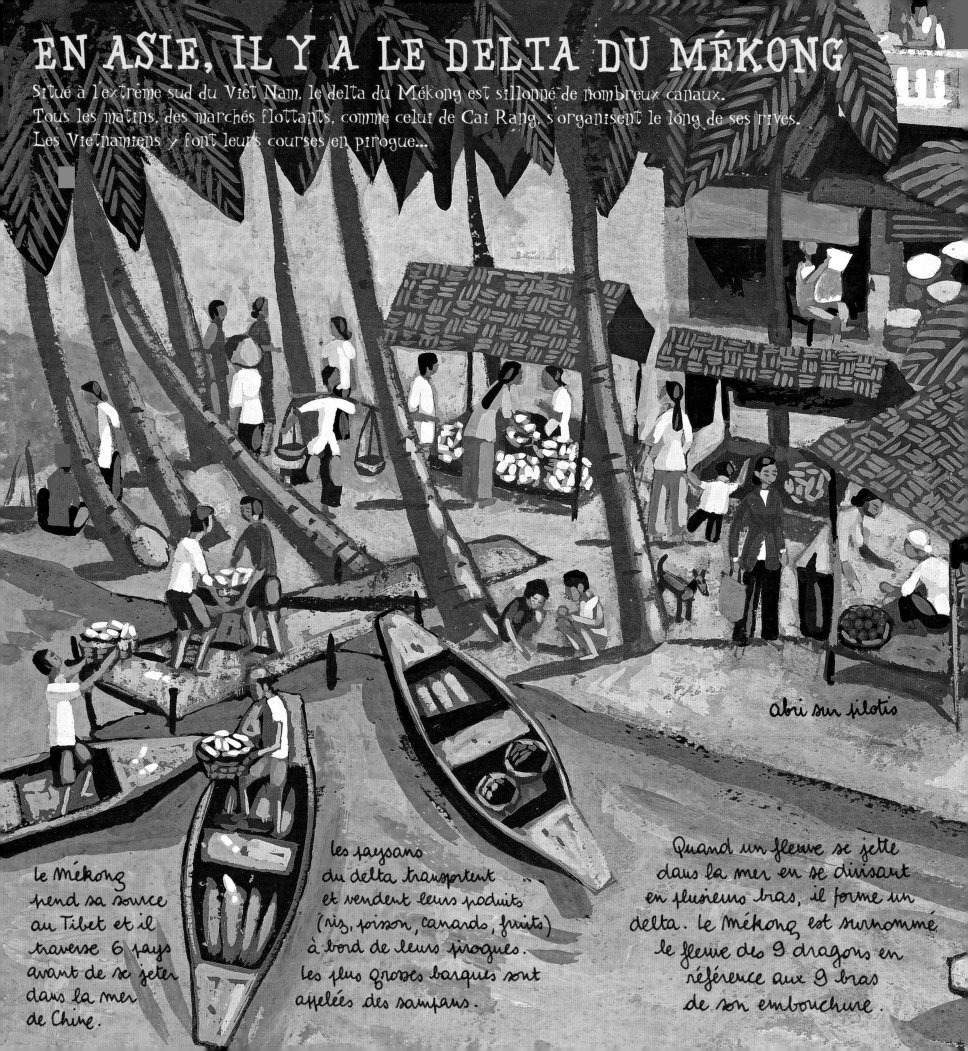

EN ASIE, IL Y A LE DELTA DU MÉKONG

Situé à l'extrême sud du Viêt Nam, le delta du Mékong est sillonné de nombreux canaux.
Tous les matins, des marchés flottants, comme celui de Cai Rang, s'organisent le long de ses rives.
Les Vietnamiens y font leurs courses en pirogue...

abri sur pilotis

le Mékong prend sa source au Tibet et il traverse 6 pays avant de se jeter dans la mer de Chine.

les paysans du delta transportent et vendent leurs produits (riz, poisson, canards, fruits) à bord de leurs pirogues. les plus grosses barques sont appelées des sampans.

Quand un fleuve se jette dans la mer en se divisant en plusieurs bras, il forme un delta. Le Mékong est surnommé le fleuve des 9 dragons en référence aux 9 bras de son embouchure.

palanche

cyclo-pousse

temple

encens

le cyclo-pousse est
un moyen de transport
courant en Asie.

le delta produit
la moitié du
riz du
Viêt Nam.

a palanche
d'un long
alancier où l'on
ttache 2 paniers.

L'EUROPE

L'Europe est le plus petit continent de la planète, mais l'un des plus densément peuplés. Ses frontières, définies par l'Histoire, abritent des paysages et des cultures très diversifiés.

En France, on compte 37 races de vaches, élevées selon le cas pour leur viande ou pour leur lait : de quoi faire beaucoup de fromages !

La ville d'Amsterdam, aux Pays-Bas, est sillonnée de canaux à qui elle doit son surnom de Venise du Nord. Les habitants s'y déplacent souvent à vélo.

Sous le soleil espagnol, taureau et matador s'affrontent. Avec sa cape, appelée muleta, le matador fait des passes et excite la bête. La corrida est un spectacle très apprécié : les arènes de Madrid peuvent accueillir jusqu'à 23 000 spectateurs.

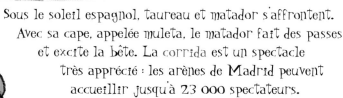

La cathédrale Saint-Basile à Moscou est un des chefs-d'œuvre de l'architecture russe. Elle fut construite au 16e siècle sous les ordres du tsar Ivan le Terrible qui aurait rendu l'architecte aveugle pour qu'il ne puisse plus jamais rien construire d'aussi beau.

Les fjords, sur la côte ouest de la Norvège, sont d'anciennes vallées glaciaires envahies par la mer. Ils sont encaissés, sinueux et souvent très profonds.

Des maisons blanches, des chapelles au toit bleu, voici Hydra, une des îles grecques. Les voitures y sont interdites : les habitants circulent à Mobylette ou à dos d'âne. Des bateaux réapprovisionnent l'île en eau douce.

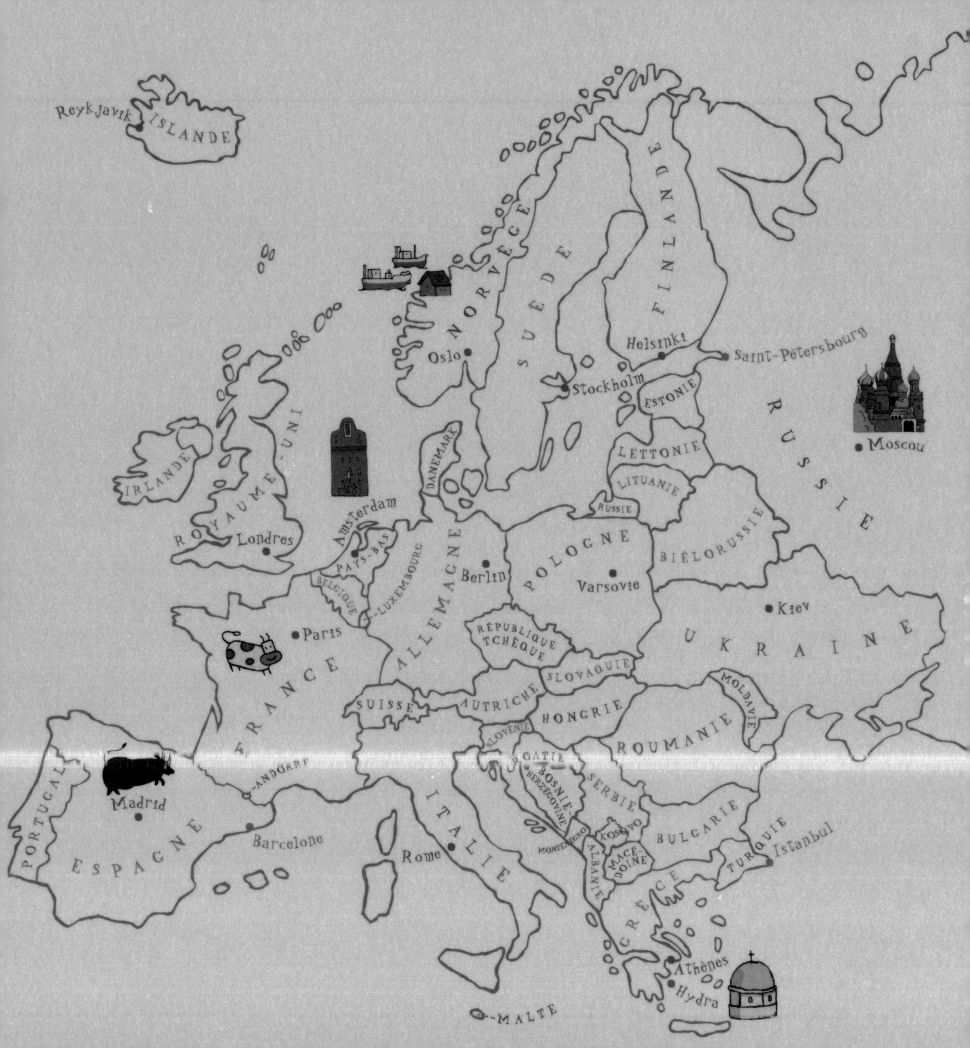

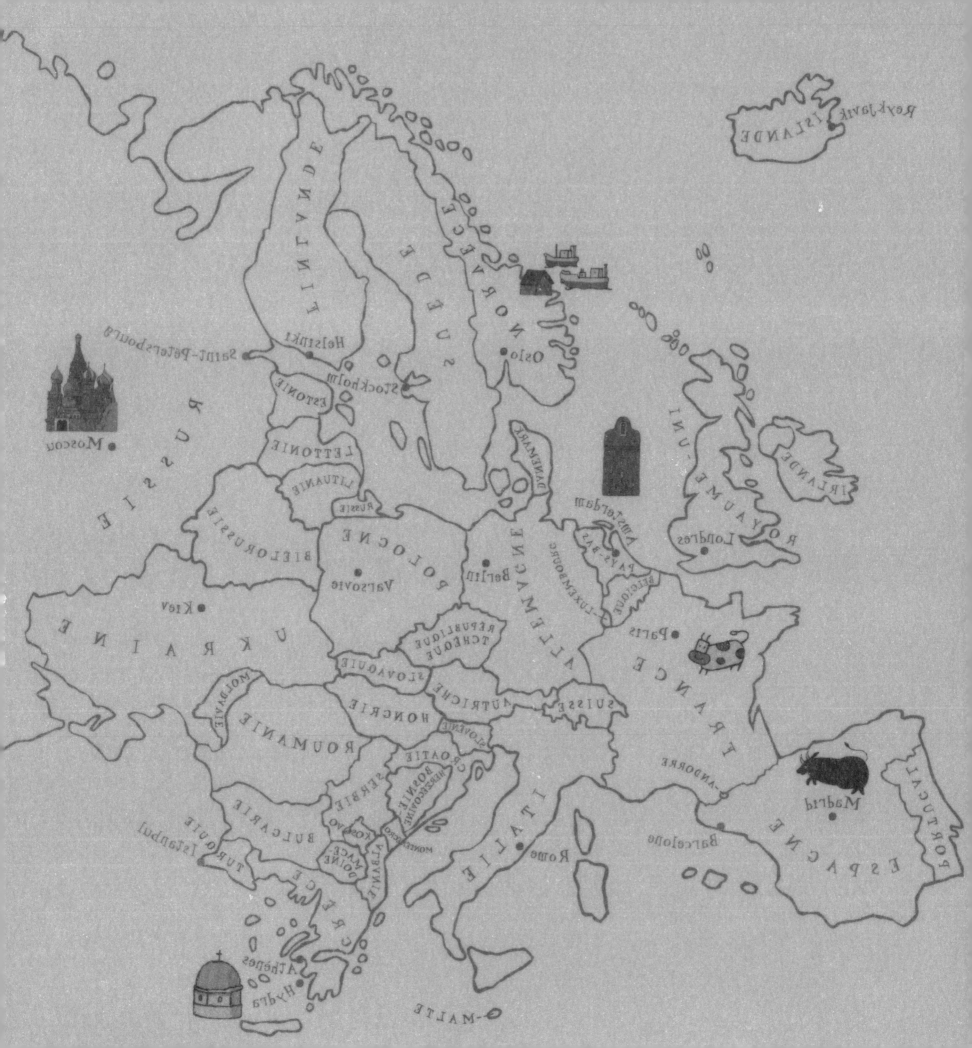

L'OCÉAN ATLANTIQUE

La mer du Nord

La mer Baltique

La Volga

La Manche

La Seine

La Loire

Le Rhin

LES CARPATES

Le Dniepr

Le Rhône

ALPES

Le Pô

LES PYRÉNÉES

Le Danube

La mer Noire

Le Tage

La mer Adriatique

Le détroit de Gibraltar

La mer Méditerranée

L'Etna

La mer Ionienne

La mer Égée

NORD

OUEST

EST

SUD

EN EUROPE, IL Y A L'ORIENT-EXPRESS

L'Orient-Express est très ancien. Ce train luxueux a transporté de grandes personnalités à travers l'Europe et a inspiré de nombreux auteurs. Actuellement, il part d'Angleterre, puis il passe en France, en Suisse et en Autriche, pour rejoindre enfin l'Italie.

L'OCÉANIE

Du bleu à perte de vue, des milliers d'îles aux noms étranges, une population accueillante et du soleil presque toute l'année, l'Océanie nous fait rêver par ses couleurs et sa douceur de vivre.

La Grande Barrière de corail est longue de plus de 2 000 km. Elle est construite jour après jour par de minuscules animaux marins, les polypes. Pour se protéger, ils se fabriquent une sorte de carapace rocheuse appelée corail. Les coraux ont des formes et des couleurs variées.

Sydney est la ville la plus peuplée d'Océanie. Situé en Australie, sur une des plus belles baies du monde, ce port est célèbre pour l'architecture originale de son opéra : il ressemble à un immense voilier posé sur la mer.

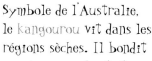

Symbole de l'Australie, le kangourou vit dans les régions sèches. Il bondit haut et loin grâce à ses pattes arrière, très musclées.

L'île de la Nouvelle-Guinée est un endroit très sauvage. Perchés dans des maisons à 50 m au-dessus du sol, les Papous vivent en harmonie avec la nature.

Ayers Rock, dans le désert australien, est le plus grand rocher du monde. Il est sacré pour les Aborigènes qui le prennent pour un être vivant et le surnomment « Uluru ».

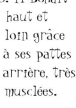

Dès leur plus jeune âge, les Néo-Zélandais pratiquent le rugby à l'école, y compris les filles ! L'équipe des All Blacks, une des plus fortes du monde, compte de nombreux Maoris, les premiers habitants de l'archipel.

Les fermiers du désert australien surveillent des troupeaux de milliers de moutons, à moto ou en hélicoptère. Le territoire est si grand, les fermes si isolées, que les enfants suivent leurs cours par radio.

Avec ses pétales blancs et son odeur délicate, la fleur du tiaré est l'emblème de l'Océanie. Les vahinés assemblent les fleurs en colliers pour les offrir aux touristes.

ÎLES MIDWAY
(ÉTATS-UNIS)

HAWAII
(ÉTATS-UNIS)

Honolulu

ÎLES MARIANNES
DU NORD (ÉTATS-UNIS)

JOHNSTON
(ÉTATS-UNIS)

GUAM
(ÉTATS-UNIS)

MICRONÉSIE

ÎLES
MARSHALL

NAURU

K I R I B A T I

TUVALU

PAPOUASIE-

ÎLES SALOMON

TOKELAU
(NOUVELLE-ZÉLANDE)

NOUVELLE-

WALLIS-ET-
FUTUNA
(FRANCE)

ÎLES

POLYNÉSIE

GUINÉE

ÎLES COOK
(NOUVELLE-ZÉLANDE)

VANUATU

ÎLES
FIDJI

SAMOA

Suva

FRANÇAISE

Papeete

AUSTRALIE

Nouméa

TONGA

• Alice Springs

NOUVELLE-
CALÉDONIE
(FRANCE)

Perth

Sydney

Auckland

NOUVELLE-

ZÉLANDE

ÎLES MIDWAY (ÉTATS-UNIS)

MICRONÉSIE

ÎLES MARSHALL

NAURU

KIRIBATI

TUVALU

TOKELAU (NOUVELLE-ZÉLANDE)

ÎLES COOK (NOUVELLE-ZÉLANDE)

POLYNÉSIE FRANÇAISE

Papeete

WALLIS-ET-FUTUNA (FRANCE)

ÎLES SAMOA

ÎLES FIDJI

Suva

TONGA

ÎLES SALOMON

VANUATU

PAPOUASIE-NOUVELLE-GUINÉE

NOUVELLE-CALÉDONIE (FRANCE)

Nouméa

AUSTRALIE

Alice Springs

Sydney

Perth

NOUVELLE-ZÉLANDE

Auckland

L'OCÉAN
PACIFIQUE

La mer d'Arafura

LA GRANDE BARRIÈRE DE CORAIL

La mer de
Corail

LE DÉSERT
DE TANAMI

LE GRAND DÉSERT
DE VICTORIA

Le Darling

La mer de Tasman

L'OCÉAN
INDIEN

L'OCÉAN
PACIFIQUE

NORD

OUEST

EST

SUD

EN OCÉANIE, IL Y A L'ATOLL DE RANGIROA

À l'origine, il y avait un ancien volcan aujourd'hui englouti par l'océan Pacifique. Les coraux se sont fixés puis développés sur ses pentes pour former cet anneau, l'atoll de Rangiroa.

aéroport de l'île

cocotiers

raie manta

poissons chirurgiens

cora...

scène de pêche

citerne d'eau

village traditionnel

pirogue à balancier

baleine à bosse

tortue de mer

L'Europe est illustrée par Olivier Latyk...

... l'Asie, par Marcelino Truong...

... l'Afrique, par Florent Silloray...

... l'Océanie, par François Roudot.

www.editionsmilan.com
© 2002 Éditions MILAN
300, rue Léon-Joulin, 31101 Toulouse Cedex 9 France
Droits de traduction et de reproduction réservés pour tous les pays.
Toute reproduction, même partielle, de cet ouvrage est interdite.
Une copie ou reproduction par quelque procédé que ce soit, photographie,
microfilm, bande magnétique, disque ou autre, constitue une contrefaçon
passible des peines prévues par la loi du 11 mars 1957 sur la protection
des droits d'auteur.
Loi 49.956 du 16.07.1949 sur les publications destinées à la jeunesse.
Dépôt légal : 4e trimestre 2009
ISBN : 978.2.7459.0645.8
Imprimé en Italie